RATUS POCHE

COLLECTION DIRIGÉE PAR JEANINE ET JEAN GUION

Les malheurs du père Noël

Les histoires de toujours

- Icare, l'homme-oiseau
- Les aventures du chat botté
- Les moutons de Panurge
- Le malin petit tailleur
- Histoires et proverbes d'animaux
- Pégase, le cheval ailé
- Le cheval de Troie
- Arthur et l'enchanteur Merlin
- Gargantua et les cloches de Notre-Dame
- La légende des santons de Provence
- Les malheurs du père Noël
- À l'école de grand-père
- L'extraordinaire voyage d'Ulysse
- Robin des Bois, prince de la forêt
- Les douze travaux d'Hercule
- Les folles aventures de Don Quichotte
- Les mille et une nuits de Shéhérazade
- La malédiction de Toutankhamon
- Christophe Colomb et le Nouveau Monde

© Hatier Paris 2004, ISSN 1259 4652, ISBN 978-2-218-74951-3

Histoires et proverbes

Les malheurs du père Noël

Neuf contes de Clémentine et Jean Delile
illustrés par Marc Goubier

Papy Proverbe

Papy Proverbe disait souvent à Claire et à Bruno que le père Noël était un de ses vieux copains. Et l'hiver, quand la neige s'accumulait devant la maison, ils s'installaient tous les trois près de la cheminée. Grand-père racontait alors des histoires dont le père Noël était le héros...

Les personnages de l'histoire

L'habit ne fait pas le moine.

Il y a longtemps de cela, une nuit du 25 décembre, le père Noël eut un accident quelque part au-dessus des Ardennes. Il glissait dans le ciel sur son traîneau quand, soudain, il vit une boule de feu arriver sur sa gauche. Une météorite fonçait sur lui. Il fit claquer son fouet dans l'air et ses rennes changèrent de direction, mais trop tard. La boule de feu toucha le traîneau et le déséquilibra. Heureusement, les rennes réussirent à redresser l'attelage et à le poser tant bien que mal sur la neige à demi fondue d'un chemin de terre.

Le père Noël descendit et regarda les dégâts. L'un des patins du traîneau avait brûlé et s'était cassé lors de l'atterrissage. Il fallait réparer pour pouvoir repartir. Le père Noël disposait d'une boîte à outils de secours et d'un patin de rechange. Il se mit à genoux dans la neige boueuse et commença à travailler. Il lui fallut presque une heure pour remplacer le patin abîmé.

Quand il eut terminé, il était très sale. Il entendit un clocher sonner minuit au loin. Il allait être en retard ! Il n'avait pas le temps d'aller se changer.

Il remonta sur son traîneau et partit distribuer ses jouets à la vitesse de l'éclair. Tout se passa bien jusqu'au moment où il arriva, les bras chargés de cadeaux, dans la maison des enfants de la famille Nautie. Au lieu d'être dans leur lit, les trois garnements l'attendaient devant la cheminée :

– T'es en retard ! dit le plus petit.

– T'es sale comme un cochon ! dit la sœur.

•••••

Qui est le vrai père Noël dans cette histoire ?

– T’es pas le père Noël ! dit l’aîné.

Et ils se mirent à crier :

– T’es un voleur ! Au voleur !

Les parents téléphonèrent aux gendarmes qui étaient en train de fêter Noël. L’un d’eux était habillé en père Noël et il garda son déguisement pour se rendre plus vite chez les Nautie. Le vrai père Noël, lui, était déjà reparti avec ses cadeaux, ses mains sales, sa barbe et sa houppelande noircies par la boue du chemin.

– Bonjour, vrai père Noël ! dirent les enfants au gendarme. Donne-nous nos jouets.

Malgré sa jolie houppelande rouge, le gendarme n’avait pas de cadeaux. Alors les enfants comprirent, mais un peu tard, qu’un bel habit bien propre ne fait pas forcément un vrai père Noël.

Chassez le naturel, il revient au galop.

On raconte que le père Noël est d'un naturel gentil, qu'il est indulgent avec les enfants. L'histoire qui suit le montre bien…

La famille Bloudit avait bien du souci avec Jules, son petit dernier. Il faisait enrager ses sœurs. Il ne manquait jamais une sottise, et il était si méchant qu'il riait quand il les voyait pleurer !

Finalement, n'y tenant plus, ses parents lui dirent qu'ils allaient prévenir le père Noël qui le priverait de jouets.

– Je m'en moque, répondit Jules, le père Noël, il n'existe pas !

Mais le lendemain, il reçut une curieuse lettre dans une enveloppe rouge.

– C'est une lettre du père Noël, lui dit Mélanie, la plus âgée de ses sœurs.

– Le père Noël n'existe pas ! répéta Jules.

Mélanie ouvrit l'enveloppe et lut :

« Mon cher Jules, si tu veux que je t'apporte le jouet de tes rêves, tu as intérêt à être gentil. Autrement, je t'apporterai un martinet ! »

Il fallut expliquer à Jules ce qu'était un martinet, car il n'en avait pas la moindre idée.

– C'est une sorte de plumeau, mais avec des lanières de cuir à la place des plumes. Certains parents s'en servaient autrefois pour fouetter les enfants insupportables…

Jules eut si peur qu'il devint sage et le resta jusqu'au 25 décembre. Le père Noël lui apporta donc son jouet. Mais le lendemain, Jules recommença à être méchant et il le fut tous les jours, pendant toute l'année ! Alors, le 25 décembre suivant, le père Noël,

Quel objet le père Noël va-t-il revenir chercher le 1er janvier ?

très en colère, lui apporta un martinet. Oui, un martinet !

Le père Noël était devenu méchant et Jules pleura. Il était si choqué qu'il ne pensa même pas à faire un caprice ! Mais le plus choqué, ce fut le père Noël qui se mit à avoir des cauchemars.

– Tu t'es forcé à être méchant, lui dit sa femme. Cela ne te réussit pas. Ton naturel, c'est d'être gentil.

Alors, la nuit du 1er janvier, le père Noël prit son traîneau et retourna dans la famille Bloudit. Il déposa sur les chaussures de Jules un superbe garage plein de petites voitures et emporta le martinet qu'il jeta dans l'océan. Puis il rentra chez lui, ne fit plus jamais de cauchemars et Jules devint très gentil…

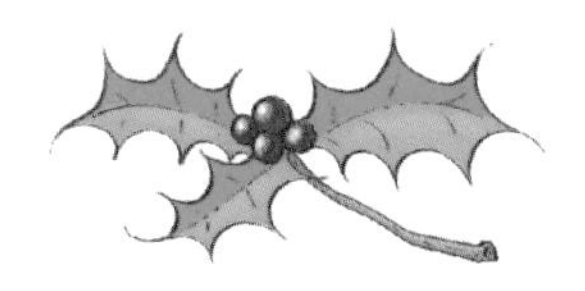

Qui ne tente rien, n'a rien.

Paul et Sarah rêvaient d'avoir un chien pour Noël. Mais ils vivaient avec leur père et celui-ci n'était pas du tout d'accord.

– Notre appartement est petit, répétait-il chaque fois qu'ils en parlaient. Et puis, qui le sortira ? En ville, ce n'est pas facile ! Vous ramasserez ses crottes dans la rue ?

– Bien sûr, papa.

Les enfants étaient prêts à tout pour avoir leur chien.

– Eh bien, commandez-le au père Noël ! dit le père. S'il vous l'apporte, je veux bien qu'on le garde.

Il rit parce qu'il ne croyait pas au père Noël, et il se crut débarrassé.

Mais Paul et Sarah écrivirent au père Noël en se disant qu'un miracle était toujours possible. Leur père posta la lettre et quelques jours plus tard, une réponse arriva. Le père Noël leur disait qu'il était désolé, mais qu'il ne livrait jamais d'animaux parmi ses cadeaux.

Paul et Sarah furent très déçus.

– Si le père Noël était une maman, dit Sarah, elle nous aurait compris !

Elle eut alors une idée et dit à son frère :

– Puisque le père Noël ne veut pas, demandons notre chien à sa femme.

Aussitôt dit, aussitôt fait. Sarah écrivit la lettre, puis l'adresse : « Mme la femme du père Noël », et elle donna l'enveloppe à son père pour qu'il la poste.

Huit jours après, la réponse arriva.

« *Chers enfants,* disait la femme du père Noël, *puisque vous insistez et que vous êtes*

À qui Sarah écrit-elle la deuxième lettre pour avoir le chien ?

gentils, j'ai dit à mon mari de vous offrir le chien dont vous rêvez. Il vous l'apportera le jour de Noël. »

C'était signé : *« Mme Amélie Noël »*

Bien sûr, Paul eut l'impression que l'écriture de Mme Noël ressemblait un peu à celle de son père. Mais qu'importe ! Le matin de Noël, le cadeau des deux enfants aboyait et mordillait leurs chaussures. Comme c'était une petite chienne, ils l'appelèrent Amélie en souvenir de la femme du père Noël.

Alors, si le père Noël ne veut pas vous offrir le cadeau de vos rêves, écrivez à sa femme ! Celui qui ne tente rien n'a rien.

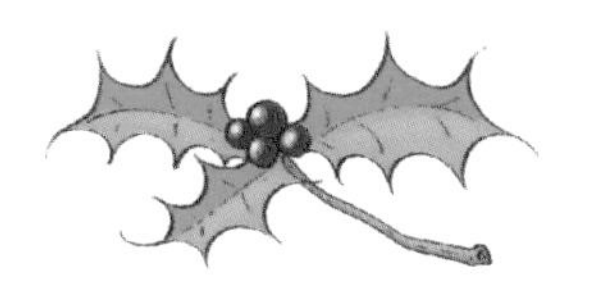

Quand on n'a pas une bonne tête, il faut avoir de bonnes jambes.

On raconte que le père Noël perd un peu la tête. C'est qu'il est vieux, le bonhomme! Personne n'a jamais compté son âge et ça vaut mieux! Il doit avoir plus de cent cinquante ans, c'est sûr.

Toujours est-il que, pour son âge, il faut qu'il soit en pleine forme car chaque année, le 25 décembre, il fournit un travail énorme dont bien peu de gens seraient capables! N'empêche qu'il est comme beaucoup de personnes âgées : il est étourdi et il oublie parfois ce qu'on lui dit.

– Un camion téléguidé pour le petit Louis Praton? C'est noté! Une poupée qui parle pour la gentille Noura Marozzi? C'est noté!

Et cette nuit de Noël, quand il arriva au-dessus de la cheminée de la famille Praton, il chercha dans son traîneau :

– Pour le petit Louis… Euh… Oh, zut ! C'était un camion et je l'ai oublié !

Alors il fit claquer son fouet dans l'air et cria à ses rennes :

– À la maison, vite ! On a oublié quelque chose.

Dans son immense entrepôt où il garde les jouets, il trouva un camion pour le petit Louis. Alors, il remonta sur son traîneau et fit à nouveau claquer son fouet :

– Chez les Praton, vite !

Il se laissa glisser dans la cheminée, posa le camion et les autres jouets commandés, puis repartit. Mais au-dessus de la maison des Marozzi, le père Noël chercha à nouveau dans son traîneau et ne trouva pas ce qu'il devait apporter…

• • • • • •

Dans l'histoire, qui a de bonnes jambes ?

– La gentille Noura... C'était... Qu'est-ce que ça pouvait bien être ?

Heureusement, Noura avait écrit sa commande de cadeaux sur ses chaussures et le père Noël cria à ses rennes :

– À la maison, vite ! On a oublié la poupée de Noura.

Bien sûr, il finit par trouver la poupée et répara son étourderie. Mais au dixième oubli, ses rennes étaient un peu fatigués.

– Père Noël, dirent-ils, vous n'avez pas une bonne tête, mais heureusement que nous avons de bonnes jambes !

Alors le père Noël rit et décida de s'offrir un ordinateur pour noter à l'avenir toutes les commandes des enfants. Depuis ce jour, il n'oublie plus rien, et ses rennes en sont très contents !

Toute peine mérite salaire.

Cette année-là, Noël faillit ne pas avoir lieu parce que le père Noël s'était mis en grève. Oui, vous avez bien lu : en grève ! Il aurait même fait une manifestation pour dire son ras-le-bol, mais il aurait été seul à brandir une pancarte et à crier dans les rues : « Les cadeaux, quel boulot ! »

Sa vie était un enfer. C'était un peu comme si le facteur devait distribuer tout le courrier de l'année en une seule nuit ! Et la plupart des gens voulaient que tout arrive à minuit. Personne n'oserait demander ça à son facteur !

Ce n'était pas tout. Pour pouvoir faire une pareille distribution, il fallait avoir préparé le travail. Et les clients du père Noël n'étaient pas faciles. Ils avaient toute l'année pour passer commande, mais ils attendaient toujours décembre pour le faire. Il y en avait même qui téléphonaient le soir du 24 !

Mais le pire, ce n'était pas cela. Le pire, c'est que personne n'était gentil avec lui ! Les adultes faisaient comme s'il n'existait pas. Les enfants lui écrivaient des lettres adorables en décembre : mon père Noël par-ci, mon père Noël par-là, je serai sage comme une image et gros bisous si tu m'apportes une fusée ou un habit de princesse. Mais en janvier, plus une lettre, pas un merci ! Personne pour demander des nouvelles de sa santé après la nuit épuisante du 25 décembre.

14

Et il y avait même encore pire. La nuit de Noël, quand il arrivait chez les gens, tout le monde était allé se coucher ! Pas un seul n'était resté pour l'attendre et lui dire

•••••

Dans l'histoire, qui s'est mis en grève ?

merci, pour lui offrir une tasse de chocolat chaud ou pourquoi pas, lui glisser un petit pourboire dans la main. Rien ! 15

Le père Noël était donc en grève depuis début janvier, et on était fin novembre. La situation devenait grave et le gouvernement se réunit. Il fit voter une loi :

Article 1. Le père Noël est le personnage le plus important après le Président.

Article 2. Le père Noël recevra chaque année une prime de Noël. 16

Article 3. Le père Noël pourra partir en vacances de janvier à octobre, mais il n'aura pas le droit de prendre sa retraite.

Le père Noël fut heureux que l'on reconnaisse enfin toute la peine qu'il se donnait pour son travail. Cette année-là, Noël se passa bien, mais tout le monde avait eu chaud ! 17

Il ne faut pas remettre au lendemain ce qu'on peut faire le jour même.

En ce temps-là, le père Noël avait un fils. Ce n'était pas un mauvais garçon, mais il était d'un naturel paresseux. Il aimait jouer avec ses copains, gratter sa guitare et chanter des chansons aux filles de son village. Il ne disait jamais non quand on lui demandait de faire un travail, mais il oubliait. Et quand sa mère s'inquiétait, il répondait :

– Ne t'en fais pas, maman. Je le ferai demain ! Et j'aurai vite terminé.

Une année, le père Noël eut des ennuis de santé. Eh oui ! Cela peut arriver à tout le monde. Il se sentit soudain très fatigué. On fit venir les plus grands médecins. Vous pensez si c'était important ! Le père Noël malade ! Il fallait absolument qu'il guérisse.

– Papa, je vais t'aider, lui dit son fils. Je vais préparer ton traîneau et les jouets. Tout sera prêt le 24 décembre et tu n'auras que les livraisons à faire.

– Tu es un bon fils, répondit le père Noël d'une voix faible. Merci.

Et le pauvre homme resta couché.

Les jours et les semaines passèrent. Vers la fin novembre, il fit appeler son fils et lui demanda :

– Où en es-tu des préparatifs ?

– Ça avance, papa. Je vais commencer demain…

Le père Noël était trop fatigué pour se fâcher. Il soupira profondément.

– Ne t'inquiète pas, lui dit son fils pour le rassurer. Tout sera prêt en temps et en heure !

Qui remet toujours au lendemain ce qu'il peut faire le jour même ?

Le fils commença bien le lendemain matin, mais des amis vinrent le chercher pour aller faire du ski. Quand il fut de retour, il décida qu'il avait encore le temps avant de se mettre au travail. Et chaque fois que son père lui demandait où il en était, il répondait :

– Demain, papa. Je commence demain.

Et ce qui devait arriver arriva : le 20 décembre, rien n'était encore prêt ! Le fils, pris de panique, se mit à travailler jour et nuit. Trop tard ! Le 24, le père Noël était guéri, mais le traîneau n'était pas encore chargé.

Cette année-là, le père Noël fut en retard dans toutes les maisons, et il eut moins de cadeaux à distribuer que d'habitude. Depuis ce jour, il ne fait plus confiance à ceux qui remettent toujours le travail au lendemain.

Faute avouée est à demi pardonnée.

Un jour, le père Noël reçut une lettre signée par une certaine Sophie Hartefoule qui habitait au Canada, tout près de la jolie ville de Québec.

« *Cher père Noël,* disait-elle, *je voudrais que tu m'apportes une poupée qui parle et qui fait des câlins. Mon petit frère Léon veut un grand vélo. Gros bisous. Sophie.* »

– Oh, oh ! se dit le père Noël en lisant cette lettre. Un grand vélo pour un petit frère, c'est curieux…

Il consulta son ordinateur, retrouva Sophie Hartefoule, mais pas son petit frère.

– Oh, oh ! fit à nouveau le père Noël, mon ordinateur ne serait-il pas à jour ? Et ma nouvelle secrétaire aurait-elle oublié d'inscrire le petit Léon ?

Il envoya un de ses enquêteurs à Québec et celui-ci revint en disant qu'il y avait bien une petite Sophie Hartefoule à l'adresse indiquée, mais qu'elle était fille unique. Il y avait aussi un Léon dans cette maison, mais c'était le grand-père qui ne pouvait se déplacer qu'en chaise roulante.

Alors le père Noël écrivit à Sophie : *« Ma chère petite Sophie, je suis bien ennuyé, mais je crois que tu n'as pas de petit frère, ou du moins pas encore. Alors je ne peux pas lui apporter de vélo. Et puisque ce petit frère n'existe pas, je me demande si toi aussi, tu existes. Comme je n'en suis pas sûr, je risque de ne pas pouvoir t'apporter ta poupée.»* Bien sûr, il avait ajouté quelques mots gentils.

Sophie répondit tout de suite à sa lettre.

Quel cadeau Sophie a-t-elle demandé pour son petit frère qui n'existe pas ?

« *Cher père Noël,* écrivit-elle, *excuse-moi d'avoir dit un mensonge, mais j'avais très envie d'un vélo. Maman m'a dit que je serai punie pour avoir dit un si gros mensonge au père Noël et que tu ne m'apporteras pas ma poupée. Je suis triste, mais je t'aime bien quand même. Sophie.* »

Le matin de Noël, Sophie trouva sa poupée devant la cheminée. À son poignet, pendait un petit message sur lequel était écrit : « *Je te pardonne, Sophie. Faute avouée est à moitié pardonnée ! Joyeux Noël.* » C'était signé : « *Le père Noël* »

Sophie a grandi. Elle est maintenant une jolie jeune fille. Elle n'a jamais oublié ce message du père Noël. Elle le garde dans un tiroir secret de sa chambre.

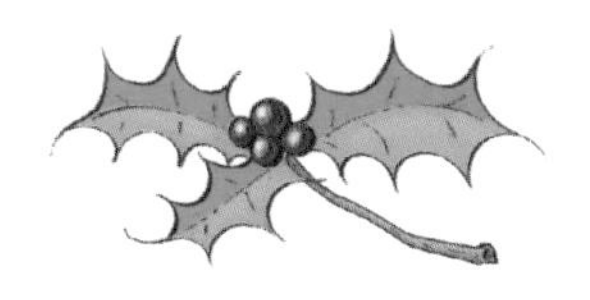

Quand le vase est trop plein, il déborde.

Cette année-là, le mois de décembre s'annonçait mal. Il faisait un temps glacial et les fabricants de jouets étaient en retard.

Le père Noël lisait pourtant son courrier en fredonnant *Vive le vent*. Il ouvrit la lettre des jumeaux Grinec et nota leur commande : une trottinette pour chacun d'eux.

Le lendemain, il reçut une lettre de la grand-mère Grinec : elle écrivait que les deux trottinettes devaient être de la même couleur. Le père Noël ajouta ce détail sur son ordinateur. Trois jours plus tard, c'est Mme Grinec qui cette fois écrivait :

« Il ne faut surtout pas que les trottinettes soient de la même couleur. C'est le psychologue

qui l'a dit. Il en faut une rose pour Marie et une bleue pour François. »

Le père Noël corrigea une nouvelle fois la commande, puis il se remit à fredonner. Mais le jour d'après, il reçut encore une lettre de Mme Grinec :

« J'ai oublié de préciser : les trottinettes doivent être de fabrication française, marque Saroul, modèle 34VT traité anti-rouille. »

Le père Noël se gratta la barbe et compléta de nouveau la commande. Le lendemain, un mercredi, ce fut une lettre des jumeaux :

« Cher père Noël, on ne veut plus d'une trottinette. On veut deux vélos. Bisous. »

Le jeudi, encore deux lettres des Grinec ! Dans l'une, le père disait qu'il n'était pas question de vélos, et qu'il voulait des trottinettes modèle 57VTX à pédale directe à la place du modèle 34VT. Le grand-père, lui, écrivait que le père Noël ferait mieux

Que demande la grand-mère dans sa deuxième lettre ?

d'apporter une brouette. Le samedi, la grand-mère écrivit à nouveau pour dire que le cadeau devait être livré avec des casques. Trois jours après, la mère ajouta que les casques devaient être du modèle 2KC, et qu'il n'était pas question de brouette.

Le 23 décembre, le père Noël trouva encore deux lettres des Grinec dans son courrier. C'en était assez ! C'était la goutte d'eau qui faisait déborder le vase ! Il les jeta dans la corbeille sans les lire, et la nuit de Noël, il offrit aux jumeaux une brouette rouge qui lui restait de l'année précédente.

Finalement, le grand-père avait eu raison : les enfants furent très heureux et jouèrent tout l'hiver à faire des courses de brouette entre les meubles du salon, l'un dedans, l'autre poussant.

Bien mal acquis ne profite jamais.

2

Imaginez un traîneau dans le ciel, filant à la vitesse d'une étoile. L'air fouette le visage et fait pleurer les yeux. Le métier de père Noël n'est pas toujours très drôle !

Cette année-là, il faisait si froid que le nez du père Noël avait failli geler au-dessus du Massif Central.

Comme il n'était pas encore minuit, le père Noël se dit qu'il avait un peu de temps. Il descendit et arrêta son traîneau devant une auberge, dans les environs de Versailles. Il enleva sa houppelande rouge et son bonnet pour qu'on ne le reconnaisse pas, puis il entra pour se réchauffer un peu.

22

Il faisait bon. De grosses bûches de bois

crépitaient dans la cheminée et une agréable odeur de dinde aux marrons flottait dans l'air.

– Puis-je manger un morceau de dinde en vitesse et boire un grand bol de lait chaud ? demanda-t-il.

On servit le père Noël qui se régala et se réchauffa tout à la fois. Mais un voleur l'avait vu laisser son traîneau chargé de jouets sans surveillance...

– Chic ! se dit l'homme, je vais m'offrir une montagne de jouets.

Dès que le père Noël fut attablé devant sa dinde, le voleur sauta dans le traîneau et fouetta les rennes.

Les pauvres animaux avaient l'habitude d'entendre le bruit du fouet claquer dans l'air vif de la nuit, mais jamais, au grand jamais, ils n'avaient reçu un seul coup de fouet. Ils firent une embardée en se disant

23

•••••

Dans l'histoire, quel est le bien qui va être mal acquis ?

que le père Noël, contrairement à son habitude, avait dû boire un peu d'alcool pour se réchauffer. Mais quand ils entendirent jurer derrière eux, ils comprirent que ce n'était pas leur maître et ralentirent leur course.

– En avant, sales bêtes ! hurlait le voleur de jouets.

Et clac, et clac, le fouet leur brûlait le dos.

– Je vais vendre tous ces jouets, criait le malhonnête homme, et je serai riche. Les jouets du père Noël sont maintenant à moi !

Alors les rennes, comprenant cette fois qu'ils avaient affaire à un voleur, passèrent au-dessus de Paris et changèrent brusquement de direction, ce qui fit pencher le traîneau. Le voleur fut projeté dans le vide et tomba dans la Seine où il avala une grande gorgée d'eau sale avant d'être repêché par des gendarmes.

Les rennes se dépêchèrent de retourner

chercher leur maître qui s'était attardé devant une bûche au chocolat et sortait tout juste de l'auberge.

Le père Noël commença donc sa tournée avec un peu de retard, mais ça n'avait pas beaucoup d'importance car les enfants dorment à l'heure où il distribue ses jouets.

Il ne sut jamais ce qui s'était passé parce qu'il ne manquait pas un seul jouet dans le traîneau. Cette nuit-là, il avait fait si froid que le givre avait collé les cadeaux les uns aux autres et qu'aucun n'était tombé dans la Seine au moment où les rennes s'étaient débarrassés du voleur.

1

L'habit ne fait pas le moine.
Il ne faut pas juger quelqu'un à ses vêtement. Un moine est un religieux qui porte un vêtement spécial.

2

une **météorite**
Morceau de rocher qui vient de l'espace.

3

l'**attelage**
Les rennes attachés ensemble au traîneau.

4

des **garnements**
Des enfants agités et bruyants.

5

une **houppelande**
Long manteau très large, ouvert devant.

6

Chassez le naturel, il revient au galop.
On ne peut pas s'empêcher de faire ce qui correspond à son caractère.

7

indulgent
Qui pardonne facilement.

8

un **plumeau**
Objet qui sert à enlever la poussière.

9

Qui ne tente rien n'a rien.
Quand on ne fait pas d'effort pour obtenir ce que l'on veut, on ne l'obtient pas.

10

un **miracle**
Une chose étonnante qui arrive quand on ne l'attend pas.

11

insister
Continuer à demander une chose.

12

un **entrepôt**
Bâtiment où l'on garde des marchandises.

13
il s'est mis **en grève**
Il s'est arrêté de travailler parce qu'il n'était pas content.

14
épuisante
Très fatigante.

15
un **pourboire**
Argent donné pour récompenser un travail.

16
une **prime**
Argent donné en plus pour encourager quelqu'un.

17
on **avait eu chaud**
On avait eu peur.

18
la **panique**
Très grande peur.

19
un **enquêteur**
Personne chargée de se renseigner.

20
fredonner
Chanter à mi-voix.

21
Bien mal acquis ne profite jamais.
Ce qui est volé attire des ennuis au voleur.

22
une **auberge**
Petit hôtel-restaurant.

23
une **embardée**
Brusque changement de direction.

24
jurer
Dire des gros mots.

25
malhonnête
Qui fait quelque chose de mal, qui n'est pas honnête.

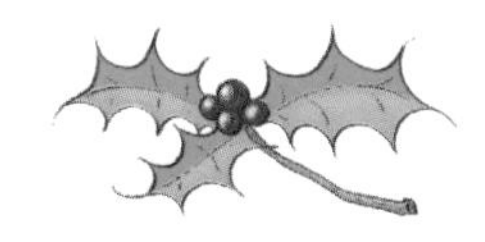

Les aventures du rat vert

Super-Mamie et la forêt interdite

Les histoires de toujours

27 Icare, l'homme-oiseau
32 Les aventures du chat botté
35 Les moutons de Panurge
37 Le malin petit tailleur
41 Histoires et proverbes d'animaux
49 Pégase, le cheval ailé
26 Le cheval de Troie
43 La légende des santons de Provence
49 Les malheurs du père Noël
52 À l'école de grand-père
21 L'extraordinaire voyage d'Ulysse
36 Les douze travaux d'Hercule
46 Les mille et une nuits de Shéhérazade
49 La malédiction de Toutankhamon
50 Christophe Colomb et le Nouveau Monde
53 Des dieux et des héros
54 Des monstres et des héros

Collection Ratus Poche

Ralette, drôle de chipie

10 Ralette au feu d'artifice
11 Ralette fait des crêpes
13 Ralette fait du camping
18 Ralette fait du judo
22 La cachette de Ralette
24 Une surprise pour Ralette
28 Le poney de Ralette
38 Ralette, reine du carnaval
45 Ralette, la super-chipie !
51 Joyeux Noël, Ralette !
56 Ralette, reine de la magie
62 Ralette et son chien
70 En voiture, Ralette !
4 Ralette n'a peur de rien
6 Mais où est Ralette ?
44 Les amoureux de Ralette

L'école de Mme Bégonia

11 Drôle de maîtresse
25 Un voleur à l'école
33 Un chien à l'école

La classe de 6e

44 La classe de 6e au Puy du Fou
48 La classe de 6e contre les troisièmes

Collection Ratus Poche

Les imbattables

Baptiste et Clara

Francette top secrète

M. Loup et Compagnie

Conception graphique couverture : Pouty Design
Conception graphique intérieur : Jean Yves Grall • mise en page : Atelier JMH

Imprimé en France par Pollina, 85400 Luçon - n° L62421
Dépôt légal n° 74951-3/05 - octobre 2012